Manuale del guerriero della luce

Dello stesso autore presso Bompiani

L'Alchimista
Sulla sponda del fiume Piedra mi sono seduta e ho pianto
Manuale del guerriero della luce
Monte Cinque
Veronika decide di morire
Il Cammino di Santiago
Undici minuti

Paulo Coelho

Manuale del guerriero della luce

Traduzione di Rita Desti

asSaggi Bompiani

COELHO, PAULO, *Manual do guerreiro da luz*

Homepage: www.paulocoelho.com.br

via Mecenate 91 - 20138 Milano

ISBN 88-452-3183-6

Prima edizione Bompiani settembre 1997

Quarantaquattresima edizione Bompiani dicembre 2003

NOTA DELL'AUTORE

A eccezione del Prologo e dell'Epilogo, i testi raccolti nel presente volume sono stati pubblicati nella rubrica "Maktub" del quotidiano *A Folha de São Paulo*, e su vari giornali brasiliani e stranieri, fra il 1993 e il 1996.

O Maria, concepita senza peccato,
pregate per noi che ricorriamo a Voi.
Amen.

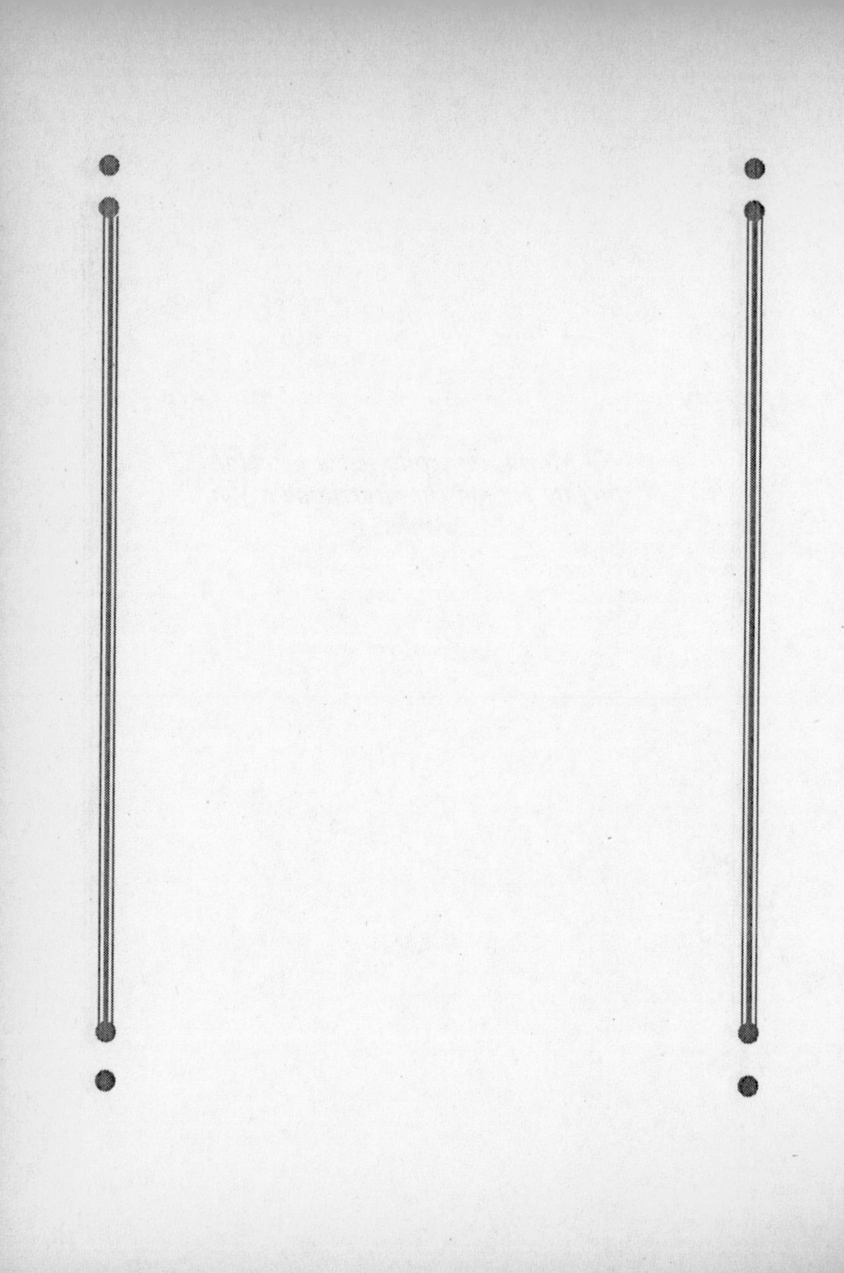

A S.I.L.,
Carlos Eduardo Rangel
e Anne Cárriere,
maestri nell'uso del rigore
e della compassione.

“Il discepolo non è da più del *suo* maestro; ogni allievo, compiuta la sua formazione, sarà *tutt'al più* come il suo maestro.”

Luca, 6, 40

PROLOGO

"Nella spiaggia a est del paese c'è un'isola sulla quale sorge un gigantesco tempio con tante campane," disse la donna.

Il bambino notò che lei indossava strani abiti e che un velo le copriva i capelli. Non l'aveva mai vista prima.

"Hai mai visto questo tempio?" gli domandò lei. "Vai fin laggiù e dimmi cosa ne pensi."

Affascinato dalla bellezza della donna, il bambino si recò nel luogo indicato. Si sedette sulla spiaggia e guardò l'orizzonte, ma non vide null'altro se non quello che era solito vedere: il cielo azzurro e l'oceano.

Deluso, si avviò verso un gruppo di case abitate da pescatori e domandò loro di un'isola con un tempio.

"Sì, c'era, ma tanto tempo fa, quando qui vivevano i miei bisnonni," disse un vecchio pescatore. "Poi ci fu un terremoto, e l'isola sprofondò nel mare. Eppure, anche se non possiamo più vedere l'isola, riusciamo ancora a sentire le campane del suo tempio, quando il mare le fa ondeggiare, laggiù sul fondo."

Il bambino ritornò alla spiaggia, e aspettò di udire le campane. Vi passò tutto il pomeriggio, ma riuscì a sentire soltanto il rumore delle onde e le strida dei gabbiani.

Quando giunse la sera, i suoi genitori andarono a prenderlo. Il mattino dopo, il bambino tornò alla spiaggia. Non poteva credere che una donna così bella potesse raccontare delle bugie. Se un giorno lei fosse tornata, avrebbe potuto dirle di non avere visto l'isola, ma di avere udito le campane del tempio, che rintoccavano per il movimento dell'acqua.

Così trascorsero alcuni mesi. La donna non tornò e il ragazzino la dimenticò. Adesso era intenzionato a scoprire le ricchezze e i tesori del tempio sommerso. Se avesse udito le campane, avrebbe potuto localizzarlo e recuperare il tesoro nascosto.

Ormai non lo interessavano più né la scuola né la combriccola di amici. Si tramutò nel divertimento preferito degli altri bambini, che solevano dire: "Lui non è più come noi. Preferisce starsene a guardare il mare, perché ha paura di perdere quando giochiamo."

E, vedendo il bambino seduto in riva al mare, tutti ridevano.

Benché non riuscisse a sentire le campane del tempio, il bambino apprendeva ogni giorno cose diverse. Si accorse che, dopo avere ascoltato a lungo il rumore delle onde, lo sciabordio non lo distraeva più. Passò qualche tempo, e si abituò anche alle strida dei gabbiani, al ronzio delle api, al vento che sibilava tra le palme.

Sei mesi dopo l'incontro con la donna, il bambino era ormai capace di non lasciarsi distrarre da nessun rumore. Ma le campane del tempio sommerso non le aveva ancora udite.

Alcuni pescatori andavano a parlare con lui, e insistevano. "Noi le abbiamo sentite!" dicevano.

Ma il ragazzino continuava a non sentirle.

Qualche tempo dopo, i pescatori cambiarono tono: "Sei troppo concentrato sul suono delle campane laggiù. Lascia perdere, e torna a giocare con i tuoi amici. Forse soltanto i pescatori riescono a sentirle."

Dopo quasi un anno, il bambino si disse: "Forse hanno ragione loro. È meglio crescere, diventare pescatore e tornare tutte le mattine su questa spiaggia, perché ho cominciato ad amarla." E pensò anche: "Forse è soltanto una leggenda. Con il terremoto le campane si sono spaccate e non rintoccheranno mai più."

Quel pomeriggio decise di tornare a casa.

Si avvicinò all'oceano, per congedarsi. Guardò ancora una volta lo spettacolo della Natura, e allora, siccome non era più concentrato sulle campane, poté sorridere al canto dei gabbiani, al rumore del mare, al vento che sibilava tra le palme. Sentì in lontananza la voce dei suoi amici che giocavano, e si rallegrò al pensiero che ben presto sarebbe tornato ai giochi dell'infanzia.

Il bambino era contento. E, come soltanto un bambino sa fare, ringraziò di essere vivo. Sapeva di non avere perduto il proprio tempo, poiché aveva appreso a contemplare e a rispettare la Natura.

A quel punto, sentendo il mare, i gabbiani, il vento, le foglie delle palme e le voci degli amici che giocavano, udì anche la prima campana.

E un'altra.

E poi un'altra ancora, finché tutte le campane del tempio sommerso rintoccarono, riempiendolo di gioia.

Anni dopo, ormai adulto, ritornò al paese e alla spiaggia dell'infanzia. Non voleva più recuperare alcun tesoro in fondo al mare: forse era stato solo un frutto della sua fantasia, forse non aveva mai udito le campane sommerse in quel lontano pomeriggio della sua infanzia. Decise comunque di passeggiare sulla spiaggia, per ascoltare il rumore del vento e le strida dei gabbiani.

Fu profondamente sorpreso nel vedere, seduta sulla sabbia, la donna che gli aveva parlato dell'isola con il tempio.

"Che cosa fai qui?" le domandò.

"Aspettavo te," rispose lei.

Lui notò che, sebbene fossero passati tanti anni, la donna aveva ancora lo stesso aspetto: il velo che le copriva i capelli non sembrava affatto sgualcito dal tempo.

Lei gli porse un quaderno azzurro, con le pagine bianche.

"Scrivi: 'Un guerriero della luce presta attenzione agli occhi di un bambino. Perché quegli occhi sanno vedere il mondo senza amarezza. Quando desidera sapere se chi sta al suo fianco è degno di fiducia, cerca di vedere la maniera in cui lo guarda un bambino.'"

"Che cos'è un guerriero della luce?"

"Credo che tu lo sappia," rispose lei, sorridendo. "È colui che è capace di comprendere il miracolo della vita, di lottare fino alla fine per qualcosa in cui crede, e di sentire allora le campane che il mare fa rintoccare nel suo letto."

Lui non si era mai ritenuto un guerriero della luce. La donna parve indovinare il suo pensiero: "Di questo sono capaci tutti. E nessuno ritiene di essere un guerriero della luce, benché in effetti lo sia."

Lui guardò le pagine del quaderno. La donna sorrise di nuovo.

"Scrivi," disse lei infine.

Manuale del guerriero della luce

Un guerriero della luce non dimentica mai la gratitudine.

Durante la lotta è stato aiutato dagli angeli. Le forze celestiali hanno messo ogni cosa al proprio posto, permettendo a lui di dare il meglio di sé.

I compagni commentano: "Com'è fortunato!" E talvolta il guerriero ottiene assai più di quanto le sue capacità consentano.

Perciò, quando il sole tramonta, si inginocchia e ringrazia il Manto Protettore che lo circonda.

La sua gratitudine, però, non è limitata al mondo spirituale: egli non dimentica mai gli amici, perché il loro sangue si è mescolato con il suo sul campo di battaglia.

Un guerriero non ha bisogno che qualcuno gli rammenti l'aiuto degli altri: se ne ricorda da solo, e divide con loro la ricompensa.

Tutte le strade del mondo conducono al cuore del guerriero: egli s'immerge senza esitazioni nel fiume di passioni che scorre sempre attraverso la vita.

Il guerriero sa che è libero di scegliere ciò che desidera: le sue decisioni sono prese con coraggio, distacco e, talvolta, con una certa dose di follia.

Accetta le proprie passioni, e le vive intensamente. Sa che non è necessario rinunciare all'entusiasmo delle conquiste: esse fanno parte della vita, e ne gioisce con tutti coloro che ne partecipano.

Ma non perde mai di vista le cose durature, e i solidi legami creati attraverso il tempo.

Un guerriero sa distinguere ciò che è transitorio da quello che è definitivo.

Un guerriero della luce non conta solo sulle proprie forze. Usa anche l'energia dell'avversario.

Quando inizia il combattimento, tutto ciò che possiede è l'entusiasmo, e i colpi che ha appreso durante l'addestramento. A mano a mano che procede nella lotta, scopre che l'entusiasmo e l'addestramento non sono sufficienti per vincere: è necessaria l'esperienza.

Allora egli apre il suo cuore all'Universo, e chiede a Dio di ispirarlo, affinché ogni colpo del nemico diventi una lezione di difesa per lui.

I compagni commentano: "Com'è superstizioso. Ha interrotto la lotta per pregare, e rispetta i trucchi dell'avversario."

A queste provocazioni il guerriero non risponde. Sa che, senza ispirazione ed esperienza, non c'è addestramento che dia risultato.

Un guerriero della luce non imbroglia mai, ma sa distrarre il suo avversario.

Per quanto ansioso sia, sfrutta ogni risorsa strategica per raggiungere l'obiettivo. Quando si accorge di essere allo stremo delle forze, induce il nemico a pensare che stia temporeggiando. Quando sceglie di attaccare da destra, muove le sue truppe verso sinistra. Se intende iniziare la lotta immediatamente, finge di avere sonno e si prepara per dormire.

Gli amici commentano: "Vedete, ha perduto l'entusiasmo." Ma lui non dà importanza ai giudizi, perché gli amici non conoscono le sue tattiche di combattimento.

Un guerriero della luce sa ciò che vuole. E non ha bisogno di spiegare nulla.

Dice un saggio cinese sulle strategie del guerriero della luce: "Fai credere al tuo nemico che non otterrà grandi ricompense se deciderà di attaccarti. Così farai diminuire il suo entusiasmo.

"Non ti vergognare di ritirarti provvisoriamente dal combattimento, se capisci che il nemico è più forte. L'importante non è la singola battaglia, ma la conclusione della guerra.

"Se sarai abbastanza forte, non dovrai neppure vergognarti di fingerti debole. Questo fa perdere al tuo nemico la prudenza, e lo spinge ad attaccare anzitempo.

"In una guerra, la capacità di sorprendere l'avversario è la chiave della vittoria."

"È curioso," commenta il guerriero della luce fra sé e sé. "Incontro tanta gente che, alla prima occasione, tenta di mostrare il lato peggiore di sé. Cela la forza interiore con l'aggressività; dissimula la paura della solitudine con un'aria di indipendenza. Non crede nelle proprie capacità, ma vive proclamando ai quattro venti i propri pregi."

Il guerriero della luce legge questi messaggi in tanti uomini e tante donne che conosce. Non si lascia mai ingannare dalle apparenze, e fa di tutto per rimanere in silenzio quando tentano di impressionarlo. Ma coglie l'occasione per correggere le proprie mancanze, giacché gli uomini sono sempre un ottimo specchio.

Un guerriero approfitta di qualsiasi opportunità per imparare.

Talvolta il guerriero della luce lotta con chi ama.

L'uomo che tutela i propri amici non è mai vittima delle tempeste dell'esistenza; ha le forze per superare le difficoltà e andare avanti.

Eppure, tante volte, si sente sfidato da coloro ai quali cerca di insegnare l'arte della spada. I suoi discepoli lo provocano a un combattimento.

E il guerriero mostra le sue capacità: con pochi colpi fa rotolare a terra le lance degli allievi, e l'armonia ritorna nel luogo in cui si riuniscono.

"Perché farlo, se sei tanto superiore?" domanda un viaggiatore.

"Perché quando mi sfidano, in realtà vogliono parlare con me, e in questo modo io mantengo vivo il dialogo," risponde il guerriero.

Prima di affrontare un combattimento importante, un guerriero della luce si domanda: "Fino a che punto ho sviluppato la mia abilità?"

Egli sa che le battaglie che ha ingaggiato nel passato gli hanno sempre insegnato qualcosa. Eppure, molti di questi insegnamenti hanno fatto soffrire il guerriero più del necessario. Più di una volta ha perduto il proprio tempo, battendosi per una menzogna. E ha sofferto per uomini che non erano all'altezza del suo amore.

I vincenti non ripetono lo stesso errore. Perciò il guerriero rischia il proprio cuore solo per qualcosa di cui valga la pena.

Un guerriero della luce crede nel principale insegnamento dell'*I Ching*: "La perseveranza è favorevole."

Egli sa che la perseveranza non ha niente a che vedere con l'insistenza. Ci sono periodi in cui i combattimenti si prolungano oltre il necessario, esaurendo le forze e indebolendo l'entusiasmo.

In quei momenti, il guerriero riflette: "Una guerra che si prolunga finisce per distruggere anche il vincitore."

Allora ritira le proprie forze dal campo di battaglia, e si concede una tregua. Persevera nella volontà, ma sa aspettare il momento migliore per un nuovo attacco.

Un guerriero torna sempre a lottare. Non lo fa mai per caparbietà, ma perché nota il cambiamento nel tempo.

Un guerriero della luce sa che alcuni momenti si ripetono.

Spesso si ritrova davanti a problemi e situazioni che ha già affrontato. Allora si sente depresso, e pensa di essere incapace di progredire nella vita, giacché i momenti difficili si sono ripresentati.

"Questo l'ho già passato," si lamenta con il suo cuore.

"È vero, l'hai vissuto," risponde il cuore. "Ma non l'hai mai superato."

Il guerriero allora comprende che il ripetersi delle esperienze ha un'unica finalità: insegnargli quello che non vuole apprendere.

Un guerriero della luce fa sempre qualcosa fuori del comune.

Può ballare per la strada mentre si reca al lavoro, guardare negli occhi uno sconosciuto e parlare di amore al primo incontro, difendere un'idea che può sembrare ridicola. I guerrieri della luce si permettono simili cose.

Egli non ha paura di piangere per antiche pene, o di gioire per nuove scoperte. Quando sente che è giunto il momento, lascia tutto e parte per l'avventura tanto sognata. Quando capisce di essere al limite della resistenza, abbandona il combattimento, senza colpevolizzarsi per aver fatto un paio di follie inaspettate.

Un guerriero della luce non passa i giorni tentando di rappresentare il ruolo che altri hanno scelto per lui.

I guerrieri della luce hanno sempre un bagliore nello sguardo.

Essi vivono nel mondo, fanno parte della vita di altri uomini, e hanno iniziato il loro viaggio senza bisaccia e senza sandali. In molte occasioni sono codardi. Non sempre agiscono correttamente.

Soffrono per cose inutili, assumono atteggiamenti meschini, e a volte si ritengono incapaci di crescere. Sovente si credono indegni di qualsiasi benedizione o miracolo.

Non sempre sono sicuri di ciò che stanno facendo. Molte volte trascorrono la notte in bianco, pensando che la loro vita non ha alcun significato.

Per questo sono guerrieri della luce. Perché sbagliano. Perché si interrogano. Perché cercano una ragione: e certamente la troveranno.

Il guerriero della luce non teme di sembrare folle.

Quando è solo, parla a voce alta con se stesso. Gli hanno insegnato che questo è il miglior modo di comunicare con gli angeli, e lui tenta il contatto.

All'inizio, nota quanto sia difficile. Pensa di non avere niente da dire, e che continuerà a ripetere sciocchezze prive di senso. Il guerriero, comunque, insiste. Ogni giorno parla al proprio cuore. Dice cose su cui non è d'accordo, racconta stupidaggini.

Un giorno avverte il mutamento nella propria voce. E capisce che sta penetrando una sapienza maggiore.

Il guerriero sembra folle, ma si tratta di un mascheramento.

Dice un poeta: "Il guerriero della luce sceglie i propri nemici."

Egli sa di che cosa è capace, non ha bisogno di andare in giro a parlare delle proprie qualità e dei propri pregi. Eppure, compare continuamente qualcuno che vuole dimostrare di essere migliore di lui.

Per il guerriero non esiste "migliore" o "peggiore": ognuno possiede i doni necessari per il proprio cammino individuale.

Ma certuni insistono. Provocano, offendono, fanno di tutto per irritarlo. In quel momento, il cuore gli dice: "Non accettare le offese: esse non aumenteranno la tua abilità. Ti stancherai invano."

Un guerriero della luce non perde il proprio tempo ascoltando le provocazioni: ha un destino che deve essere compiuto.

Il guerriero della luce ha sempre ben impresso nella mente un brano di John Bunyan: "Benché abbia passato tutto quello che ho passato, non mi pento dei problemi che mi sono creato, perché mi hanno portato fin dove desideravo arrivare. Adesso, tutto ciò che possiedo è questa spada, e la consegno a coloro che vogliono procedere nel proprio pellegrinaggio. Porto con me i segni e le cicatrici dei combattimenti: sono le testimonianze di ciò che ho vissuto, e le ricompense per quello che ho conquistato.

"Sono questi segni e queste cicatrici amate che mi apriranno le porte del Paradiso. C'è stato un periodo in cui vivevo ascoltando storie di eroismo. C'è stato un periodo in cui vivevo solo perché avevo bisogno di vivere. Ma adesso vivo perché sono un guerriero, e perché voglio trovarmi un giorno in compagnia di Colui per cui tanto ho lottato."

Nel momento in cui comincia ad avviarsi, un guerriero della luce riconosce il Cammino.

Ogni pietra, ogni curva, gli danno il benvenuto. Egli si identifica con le montagne e i corsi d'acqua, scorge parte della propria anima nelle piante, negli animali e negli uccelli della campagna.

Allora, accettando l'aiuto di Dio e dei Suoi segnali, si lascia condurre dalla propria Leggenda Personale verso le incombenze che la vita gli riserva.

Alcune sere non ha un posto dove dormire, altre soffre d'insonnia. "Questo è coerente," pensa il guerriero. "Sono io che ho deciso di procedere lungo questa strada."

In questa frase è riassunto tutto il suo Potere. Egli ha scelto la strada che sta percorrendo, e non ha nulla da recriminare.

D'ora in poi, e per alcune centinaia di anni, l'Universo aiuterà i guerrieri della luce, e ostacolerà chi ha dei preconcetti.

L'energia della Terra ha bisogno di essere rinnovata.

Le idee nuove necessitano di spazio.

Il corpo e l'anima abbisognano di nuove sfide.

Il futuro si è tramutato in presente, e tutti i sogni, tranne quelli che implicano dei preconcetti, avranno la possibilità di manifestarsi.

Ciò che è importante, persisterà; ciò che è inutile, scomparirà. Il guerriero, però, sa che non è suo compito giudicare i sogni del prossimo, e non perde tempo a criticare le decisioni altrui.

Per credere nel proprio cammino, non ha bisogno di dimostrare che quello dell'altro è sbagliato.

Un guerriero della luce studia con molta attenzione la posizione che intende conquistare.

Per quanto il suo obiettivo sia difficile, esiste sempre una maniera di superare gli ostacoli. Egli verifica i cammini alternativi, affila la sua spada, e cerca di colmare il proprio cuore con la perseveranza necessaria per affrontare la sfida.

Tuttavia, a mano a mano che avanza, il guerriero si rende conto che esistono difficoltà di cui non aveva tenuto conto.

Se rimane ad aspettare il momento ideale, non uscirà mai da quel luogo; è necessario un pizzico di follia per compiere il passo successivo.

E così il guerriero utilizza un briciolo di pazzia. Perché, in guerra e in amore, non è possibile prevedere tutto.

Un guerriero della luce conosce i propri difetti. Ma conosce anche i propri pregi.

Alcuni compagni si lamentano in continuazione: "Gli altri hanno più opportunità di noi."

Forse hanno ragione. Ma un guerriero non si lascia paralizzare da questo. Cerca di valorizzare al massimo le proprie qualità.

Sa che il potere della gazzella consiste nell'abilità delle sue zampe. E quello del gabbiano è nella precisione con cui afferra il pesce. Ha appreso che una tigre non teme la iena perché è consapevole della propria forza.

Allora cerca di sapere su cosa può contare. E controlla sempre il suo equipaggiamento, composto di tre cose: fede, speranza e amore.

Se queste tre cose sono presenti, egli non ha alcuna esitazione nell'andare avanti.

Il guerriero della luce sa che nessuno è stupido, e che la vita è maestra per tutti, anche se ciò richiede tempo.

Egli dà sempre il meglio di sé, e dalla vita si attende il meglio. Inoltre, con generosità, cerca di dimostrare a tutti le potenzialità di ciascuno.

Alcuni compagni commentano: "Esistono persone ingrate."

Il guerriero non si lascia scoraggiare. E continua a stimolare il prossimo, perché è una maniera di spronare se stesso.

Ogni guerriero della luce ha avuto paura di affrontare un combattimento.

Ogni guerriero della luce ha tradito e mentito in passato.

Ogni guerriero della luce ha imboccato un cammino che non era il suo.

Ogni guerriero della luce ha sofferto per cose prive di importanza.

Ogni guerriero della luce ha pensato di non essere un guerriero della luce.

Ogni guerriero della luce ha mancato ai suoi doveri spirituali.

Ogni guerriero della luce ha detto "sì" quando avrebbe voluto dire "no".

Ogni guerriero della luce ha ferito qualcuno che amava.

Perciò è un guerriero della luce: perché ha passato queste esperienze, e non ha perduto la speranza di essere migliore.

Il guerriero della luce ascolta sempre le parole di alcuni predicatori del passato, come quelle di T.H. Huxley: “Le conseguenze delle nostre azioni sono come spaventapasseri per i codardi, e come raggi di luce per i saggi.

“La scacchiera è il mondo. Le pedine sono i gesti della nostra vita quotidiana; le regole sono le cosiddette ‘leggi di natura’. Non riusciamo a scorgere il Giocatore che sta di fronte a noi al di là della scacchiera, ma sappiamo che Egli è giusto, onesto e paziente.”

Spetta al guerriero accettare la sfida. Egli sa che Dio non soprassiede su un solo errore di coloro che ama, e non permette che i suoi prediletti fingano di ignorare le regole del gioco.

Un guerriero della luce non rimanda le sue decisioni.

Egli riflette a lungo prima di agire. Considera il proprio addestramento, la propria responsabilità e il proprio dovere di maestro. Cerca di mantenere la serenità, e analizza ogni mossa come se fosse la più importante.

Tuttavia, nel momento in cui prende una decisione, il guerriero agisce: non ha più alcun dubbio su ciò che ha scelto né cambia rotta se le circostanze sono diverse da come le immaginava.

Se la decisione è giusta, vincerà il combattimento, anche se dovesse durare più del previsto. Se è sbagliata, sarà sconfitto e dovrà ricominciare tutto da capo, con più saggezza.

Ma un guerriero della luce, quando comincia, va fino alla fine.

Un guerriero sa che i suoi migliori maestri sono gli uomini con cui divide il campo di battaglia.

È pericoloso chiedere un consiglio. Ma è molto più rischioso darlo. Quando il guerriero ha bisogno di aiuto, si sforza di osservare come i suoi amici risolvono – o non risolvono – i loro problemi. Se è in cerca di ispirazione, legge sulle labbra del vicino le parole che il suo angelo custode vuole sussurrargli.

Quando il guerriero è stanco o solitario, non sogna di donne e di uomini lontani: cerca chi gli sta accanto, e condivide il suo dolore o il suo bisogno di affetto, con piacere e senza colpa.

Un guerriero sa che la stella più lontana dell'Universo si manifesta nelle cose che stanno intorno a lui.

Un guerriero della luce condivide il proprio mondo con coloro che ama.

Cerca di esortarli a fare ciò che desidererebbero, ma che evitano per mancanza di coraggio. In quei momenti, compare l'Avversario con due tavole in mano.

Su una è scritto: "Pensa di più a te. Riserva per te stesso le benedizioni, o finirai per perdere tutto."

Sull'altra si legge: "Chi sei tu per aiutare gli altri? Riesci forse a vedere i tuoi difetti?"

Un guerriero sa di avere dei difetti. Ma sa anche di non poter crescere da solo, e di non poter allontanarsi dai compagni.

Allora scaglia le due tavole per terra, pur pensando che contengono un fondo di verità. Le tavole diventano polvere, e il guerriero continua a esortare chi gli sta vicino.

Il saggio Lao Tzu commenta il viaggio del guerriero della luce: "Il Cammino include il rispetto per tutto ciò che è piccolo e fragile. Devi sempre sapere quando è il momento di assumere un determinato atteggiamento.

"Anche se hai già tirato con l'arco varie volte, continua a prestare attenzione al modo in cui sistemi la freccia, e a come tendi il filo.

"Quando il principiante è consapevole delle sue necessità, finisce per essere più intelligente del saggio distratto.

"Accumulare amore significa fortuna, accumulare odio vuol dire calamità. Chi non riconosce i problemi, lascia aperta una porta, e le tragedie sopraggiungono.

"Il combattimento non ha niente a che vedere con il litigio."

Il guerriero della luce medita. Si siede in un angolo tranquillo della sua tenda, e si abbandona alla luce divina. Nel farlo, cerca di non pensare a niente. Si distacca dalla ricerca del piacere, dalle sfide e dalle rivelazioni, e lascia che i doni e i poteri si manifestino.

Anche se al momento non li avverte, questi doni e questi poteri si stanno impossessando della sua esistenza e influiranno sulla sua vita quotidiana.

Mentre medita, il guerriero non è se stesso, ma una particella dell'Anima del Mondo. Sono questi momenti che gli permettono di comprendere le sue responsabilità, e di agire in base a esse.

Un guerriero della luce sa che, nel silenzio del suo cuore, c'è un ordine che lo guida.

"Quando il mio arco è teso", dice Herrigel al suo maestro zen, "arriva un momento in cui sento che, se non scaglio immediatamente, perderò lo slancio."

"Finché tenterai soltanto di arrivare al momento in cui scoccare la freccia, non apprenderai l'arte degli arcieri," dice il maestro. "Ciò che a volte turba la precisione del lancio è la volontà troppo irruenta dell'arciere."

Talvolta un guerriero della luce pensa: "Quello che non farò io, non sarà fatto."

Non è così: egli deve agire, ma deve anche lasciare che l'Universo intervenga al momento debito.

Quando un guerriero subisce un'ingiustizia, generalmente cerca di restare da solo: per non mostrare il proprio dolore agli altri.

È un comportamento positivo e negativo nello stesso tempo.

Una cosa è lasciare che il cuore curi lentamente le proprie ferite. Un'altra è sprofondare nella meditazione tutto il giorno, per paura di sembrare debole.

In ciascuno di noi esistono un angelo e un demonio, e le loro voci sono molto simili. Dinanzi alla difficoltà, il demonio alimenta questa conversazione solitaria, cercando di mostrarci come siamo vulnerabili. L'angelo ci fa riflettere sui nostri atteggiamenti, e a volte ha bisogno di una bocca per manifestarsi.

Un guerriero sa equilibrare solitudine e dipendenza.

Un guerriero della luce ha bisogno di amore. L'affetto e la tenerezza fanno parte della sua natura, quanto il mangiare, il bere e il piacere del Buon Combattimento. Quando il guerriero non si sente felice davanti al tramonto, c'è qualcosa di sbagliato.

In quel momento, interrompe il combattimento e va in cerca di compagnia, per assistere insieme all'imbrunire.

Se ha difficoltà nel trovarla, si domanda: "Ho avuto paura di accostarmi a qualcuno? Ho ricevuto affetto, e non l'ho capito?"

Un guerriero della luce usa la solitudine, ma non ne viene usato.

Il guerriero della luce sa che è impossibile vivere in uno stato di completo rilassamento.

Ha imparato dall'arciere che, per scagliare lontano la freccia, è necessario mantenere l'arco ben teso. Ha appreso dalle stelle che solo un'esplosione interna consente loro di brillare.

Il guerriero nota che il cavallo, al momento di superare un ostacolo, contrae tutti i muscoli. Ma egli non confonde mai tensione con nervosismo.

Il guerriero della luce riesce sempre a equilibrare Rigore e Misericordia.

Per realizzare il proprio sogno, ha bisogno di una volontà salda, e di un'immensa capacità di abbandono. Sebbene egli abbia un obiettivo, il cammino per raggiungerlo non è sempre quello che immagina.

Perciò il guerriero usa la disciplina e la compassione. Dio non abbandona mai i propri figli, ma i Suoi disegni sono insondabili, ed Egli costruisce la strada con i nostri stessi passi.

Usando la disciplina e l'abbandono, il guerriero si entusiasma. L'abitudine non può mai governare le mosse importanti.

A volte il guerriero della luce si comporta come l'acqua, e fluisce fra gli ostacoli che incontra.

In certi momenti, resistere significa venire distrutto. Allora egli si adatta alle circostanze. Accetta, senza lagnarsi, che le pietre del cammino traccino la sua rotta attraverso le montagne.

In questo consiste la forza dell'acqua: non potrà mai essere spezzata da un martello, o ferita da un coltello. La più potente spada del mondo non potrà mai lasciare alcuna cicatrice sulla sua superficie.

L'acqua di un fiume si adatta al cammino possibile, senza dimenticare il proprio obiettivo: il mare. Fragile alla sorgente, a poco a poco acquista la forza dagli altri fiumi che incontra.

E, a partire da un certo momento, il suo potere è totale.

Per il guerriero della luce non esiste niente di astratto.

Tutto è concreto, e tutto lo riguarda. Egli non se ne sta seduto al riparo della sua tenda, osservando ciò che accade nel mondo; accetta la sfida come un'occasione che gli si presenta per trasformare se stesso.

Alcuni suoi compagni passano la vita criticando la mancanza di scelte, o commentando le decisioni altrui. Il guerriero, però, trasforma il proprio pensiero in azione.

A volte fallisce l'obiettivo, e paga, senza lagnarsi, il prezzo dell'errore. Altre volte si allontana dal cammino, e perde molto tempo per ritrovare la meta originaria.

Ma un guerriero non si distrae.

Un guerriero della luce possiede le qualità di una roccia.

Quando si trova su un terreno pianeggiante, dove intorno a lui tutto ha trovato l'armonia, egli si mantiene stabile. Su ciò che è stato creato, gli uomini possono costruire le case, perché la tempesta non distruggerà niente.

Quando, però, lo mettono su un terreno inclinato, dove le cose intorno a lui non mostrano né equilibrio né rispetto, egli rivela la sua forza, rotolando verso il nemico che insidia la pace. In quei momenti, il guerriero è devastante, e nessuno riesce a trattenerlo.

Un guerriero della luce pensa contemporaneamente alla guerra e alla pace, e sa agire in base alle circostanze.

Un guerriero della luce che confida troppo nella propria intelligenza, finisce per sottovalutare il potere dell'avversario.

È necessario non dimenticare: ci sono momenti in cui la forza si mostra più efficace della strategia.

Una corrida dura quindici minuti. Il toro capisce ben presto di essere stato ingannato: e il suo passo successivo è quello di scagliarsi contro il torero. Quando ciò accade, non c'è vivacità, motivazione, intelligenza o fascino che possano evitare la tragedia.

Perciò il guerriero non sottovaluta mai la forza bruta. Quando questa è troppo violenta, si ritira dal campo di battaglia, fintantoché il nemico non abbia esaurito la propria energia.

Il guerriero della luce sa riconoscere un nemico più forte di lui.

Se decidesse di affrontarlo, sarebbe immediatamente distrutto. Se accettasse le sue provocazioni, cadrebbe nella trappola. Allora usa la diplomazia per superare la difficile situazione in cui si trova.

Quando il nemico si comporta come un bambino, egli fa lo stesso. Quando lo invita al combattimento, finge di non capire.

Gli amici commentano: "È un codardo."

Ma il guerriero non vi bada. Sa che tutta la rabbia e il coraggio di un uccello sono inutili davanti al gatto.

In situazioni del genere, il guerriero ha pazienza. Ben presto il nemico andrà a provocare qualcun altro.

Un guerriero della luce non assiste a un'ingiustizia con indifferenza.

Sa che tutto è una cosa sola, e che ogni singola azione colpisce tutti gli uomini del pianeta. Perciò, quando si trova dinanzi alla sofferenza altrui, usa la sua spada per mettere le cose in ordine.

Ma, benché lotti contro l'oppressione, non cerca mai, in nessun momento, di giudicare l'oppressore. Ciascuno risponderà delle proprie azioni dinanzi a Dio.

Una volta terminato il proprio compito, il guerriero non fa alcun commento.

Un guerriero della luce è presente nel mondo per aiutare i suoi fratelli, e non per condannare il prossimo.

Un guerriero della luce non è mai codardo. La fuga può risultare un'eccellente tattica difensiva, ma non può essere impiegata quando la paura è grande. Nel dubbio, il guerriero preferisce affrontare la sconfitta e poi curarsi le ferite, perché sa che, se fuggisse, darebbe all'aggressore un potere maggiore di quanto meriti.

Durante i momenti difficili e dolorosi, il guerriero fronteggia la situazione svantaggiosa con eroismo, con rassegnazione e con coraggio.

Un guerriero della luce non ha mai fretta. Il tempo lavora a suo favore: egli impara a dominare l'impazienza, ed evita gesti avventati.

Procedendo lentamente, nota la saldezza dei propri passi. È consapevole di essere partecipe di un momento decisivo della storia dell'umanità, e sa che, prima di trasformare il mondo, deve cambiare se stesso. Perciò ricorda le parole di Lanza del Vasto: "Una rivoluzione ha bisogno di tempo per instaurarsi."

Un guerriero non coglie mai il frutto ancora acerbo.

Un guerriero della luce ha bisogno di pazienza e rapidità nello stesso tempo.

I due maggiori errori di una strategia sono: agire prima del tempo e farsi sfuggire l'occasione. Per evitarli, il guerriero della luce tratta ogni situazione come se fosse unica, e non applica formule, ricette, o risoluzioni altrui.

Il califfo Moauiyat domandò a Omar Ben Al-Aas quale fosse il segreto della sua grande abilità politica.

"Non mi sono mai impegnato in un'azione senza avere prima studiato la ritirata; d'altro canto, non sono mai entrato in un posto con l'intenzione di uscire correndo", fu la risposta.

Molte volte un guerriero della luce è preda dello scoramento. Pensa che niente riuscirà a risvegliare l'emozione che desiderava. Spesso, il pomeriggio e la sera, è costretto a mantenere una posizione conquistata senza che un nuovo avvenimento sopraggiunga a restituirgli l'entusiasmo.

Gli amici commentano: "Forse la sua lotta è terminata."

Udendo questi commenti, il guerriero prova dolore e confusione perché sa di non essere giunto dove voleva. Ma è caparbio, e non abbandona ciò che ha deciso di fare.

Poi, quando meno se lo aspetta, una nuova porta si apre.

Un guerriero della luce mantiene sempre il proprio cuore sgombro dal sentimento dell'odio.

Quando si avvia alla lotta, si ricorda di quello che disse Cristo: "Amate i vostri nemici." E obbedisce.

Ma sa che l'atto del perdono non lo obbliga ad accettare tutto. Un guerriero non può abbassare la testa, altrimenti perde di vista l'orizzonte dei suoi sogni.

Accetta che gli avversari valutino il suo coraggio, la sua pertinacia, la sua capacità di prendere decisioni. Essi lo obbligano a lottare per i suoi sogni.

È l'esperienza del combattimento che irrobustisce il guerriero della luce.

Il guerriero della luce si ricorda del passato. Conosce la Ricerca Spirituale dell'uomo, sa che con essa sono state scritte alcune delle migliori pagine della storia. E alcuni dei suoi peggiori capitoli: massacri, sacrifici, oscurantismo. È stata usata per fini privati, e ha visto i suoi ideali servire da scudo per terribili intenti.

Il guerriero ha già sentito commenti del tipo: "Come posso sapere se questo cammino è serio?" E ha già visto tanta gente abbandonare la ricerca non sapendo rispondere a questa domanda.

Il guerriero non ha dubbi: segue una formula infallibile.

"Dai frutti, conoscerai l'albero," ha detto Gesù. Egli segue questa regola, e non sbaglia mai.

Il guerriero della luce conosce l'importanza dell'intuizione.

In piena battaglia, non può certo pensare ai colpi del nemico: allora usa l'istinto, e obbedisce al proprio angelo.

In tempo di pace, decifra i segnali che Dio gli invia.

La gente dice: "È matto." Oppure: "Vive in un mondo di fantasia." O ancora: "Come può confidare in cose prive di logica?"

Ma il guerriero sa che l'intuizione è l'alfabeto di Dio, e continua ad ascoltare il vento e a parlare con le stelle.

Il guerriero della luce siede con i compagni intorno al fuoco.

Parlano delle conquiste, e gli estranei che si uniscono al gruppo sono i benvenuti, perché ciascuno è orgoglioso della propria vita e del Buon Combattimento. Il guerriero parla con entusiasmo del cammino, narra come ha resistito a una provocazione, quale soluzione ha trovato per un momento difficile. Quando racconta le sue storie, riveste le parole di passione e di romanticismo.

A volte si permette un'esagerazione. Si ricorda che, di tanto in tanto, anche i suoi antenati esageravano.

Perciò egli fa la stessa cosa. Ma senza mai confondere l'orgoglio con la vanità, e senza credere alle proprie esagerazioni.

"Sì," sente dire da qualcuno il guerriero della luce. "Ho bisogno di capire tutto prima di prendere una decisione. Voglio avere la libertà di cambiare idea."

Il guerriero ascolta con diffidenza questa frase. Può avere anch'egli la stessa libertà, ma questo non gli impedisce di assumere un impegno, sebbene molte volte non comprenda esattamente perché lo ha fatto.

Un guerriero della luce prende delle decisioni. La sua anima è libera come le nuvole in cielo, ma egli è davvero coinvolto nel suo sogno. Nel suo cammino liberamente scelto, deve svegliarsi a orari che non gli piacciono, parlare con gente che non lo arricchisce di nulla, fare dei sacrifici.

Commentano gli amici: "Tu non sei libero."

Il guerriero è libero. Ma sa che un forno aperto non cuoce il pane.

"In qualsiasi attività è necessario sapere che cosa aspettarsi, i mezzi per raggiungere l'obiettivo, e se si hanno le capacità necessarie per il compito proposto.

"Può dire di avere rinunciato ai frutti solo colui che, pur essendo così equipaggiato, non sente alcun desiderio per i risultati della conquista, e si fa assorbire solo dal combattimento.

"Si può rinunciare al frutto, ma la rinuncia non significa indifferenza per il risultato."

Il guerriero della luce presta ascolto e rispetta la strategia di Gandhi. E non si lascia confondere da coloro che, incapaci di giungere a qualsiasi risultato, vivono predicando la rinuncia.

Il guerriero della luce presta attenzione alle piccole cose, perché esse possono risultare ostacoli difficili.

Uno spino, per piccolo che sia, fa interrompere la marcia al viaggiatore. Una piccola cellula invisibile può distruggere un organismo sano. Il ricordo di un istante di paura nel passato ridesta ogni mattina la vigliaccheria. Una frazione di secondo apre la guardia al colpo fatale del nemico.

Il guerriero sta attento alle piccole cose. A volte è duro con se stesso, ma preferisce comportarsi in questa maniera.

"Il diavolo si nasconde nei dettagli," dice un vecchio proverbio della Tradizione.

Non sempre la fede anima il guerriero della luce. Ci sono momenti in cui non crede assolutamente in nulla. E domanda al cuore: "Ne varrà la pena di sforzarsi tanto?"

Ma il cuore è silenzioso. E il guerriero deve decidere da solo.

Allora cerca un esempio. E si ricorda che Gesù, per poter vivere la condizione umana in tutta la sua pienezza, attraversò un momento simile.

"Allontana da me questo calice," disse Gesù. Aveva perduto anch'egli animo e coraggio, ma non si fermò.

Il guerriero della luce continua a non avere fede. Ma prosegue comunque, e infine la fede ritorna.

Il guerriero sa che nessun uomo è un'isola. Non può lottare da solo. Quale che sia il suo piano, dipende da altri uomini. Ha bisogno di discutere la sua strategia, di chiedere aiuto e, nei momenti di riposo, di avere qualcuno a cui raccontare le storie di battaglia intorno al fuoco.

Ma egli non permette che gli altri confondano il suo cameratismo con insicurezza. È trasparente nelle sue azioni, e segreto nei suoi piani.

Un guerriero della luce danza con i compagni, ma non attribuisce a nessuno la responsabilità dei propri passi.

Nelle pause del combattimento, il guerriero riposa.

Molte volte passa giorni e giorni senza fare niente, perché il suo cuore lo richiede. Tuttavia la sua intuizione si mantiene desta. Egli non commette mai il peccato capitale della Pigrizia, perché sa dove essa può condurlo: alla tiepida sensazione dei pomeriggi domenicali, quando il tempo passa, e nulla più.

Il guerriero la definisce una "pace da cimitero". Si ricorda di un brano dell'Apocalisse: "Ti maledico perché non sei freddo né caldo. Magari fossi freddo o caldo! Ma, siccome sei tiepido, ti vomiterò dalla mia bocca."

Un guerriero riposa e ride. Ma sta sempre all'erta.

Il guerriero della luce sa che tutti hanno paura di tutti.

Questa paura si manifesta generalmente in due forme: attraverso l'aggressività, o attraverso la sottomissione. Sono facce dello stesso problema.

Perciò, quando si trova davanti a qualcuno che gli ispira timore, il guerriero ricorda che l'altro ha le sue stesse insicurezze. Ha superato ostacoli simili, ha vissuto gli stessi problemi.

Ma sta affrontando la situazione in modo migliore. Perché? Perché si serve della paura come motore, e non come freno.

Allora il guerriero apprende dall'avversario, e si comporta nella stessa maniera.

Per il guerriero della luce non esiste amore impossibile.

Egli non si lascia intimidire dal silenzio, dall'indifferenza, o dal rifiuto. Sa che, dietro la maschera di ghiaccio che usano gli uomini, c'è un cuore di fuoco.

Perciò il guerriero rischia più degli altri. Ricerca incessantemente l'amore di qualcuno, ancorché ciò significhi udire spesso la parola "no", tornare a casa sconfitto, sentirsi rifiutato nel corpo e nell'anima.

Un guerriero non si lascia spaventare quando insegue ciò di cui ha bisogno. Senza amore, egli non è nulla.

Il guerriero della luce conosce il silenzio che precede un combattimento importante.

E questo silenzio sembra dire: "Le cose si sono fermate. È meglio tralasciare la lotta, e divertirsi un po'." A questo punto i combattenti senza esperienza abbandonano le armi e si lamentano della noia.

Il guerriero presta attenzione al silenzio. In qualche luogo, qualcosa sta accadendo. Egli sa che i terremoti devastanti giungono senza preavviso. Ha camminato attraverso molte foreste di notte: quando gli animali non fanno rumore, il pericolo è vicino.

Mentre gli altri chiacchierano, il guerriero si allena con la spada, e scruta attentamente l'orizzonte.

Il guerriero della luce crede. Poiché crede nei miracoli, i miracoli cominciano ad accadere. Poiché ha la certezza che il suo pensiero può modificare la vita, la sua vita comincia a mutare. Poiché è sicuro che incontrerà l'amore, l'amore compare.

Di tanto in tanto, si sente deluso. A volte, si addolora.

E allora sente i commenti: "Com'è ingenuo!"

Ma il guerriero sa che ne vale il prezzo. Per ogni sconfitta, ha due conquiste a suo favore.

Tutti coloro che credono lo sanno.

Il guerriero della luce ha imparato che è meglio seguire la luce.

Egli ha tradito, ha mentito, ha deviato dal cammino, ha corteggiato le tenebre. E tutto è proseguito per il verso giusto, come se niente fosse accaduto.

Ma poi, all'improvviso, arriva un abisso. Si possono fare mille passi sicuri, ma un solo passo può portare alla fine di tutto. Allora il guerriero si trattiene prima di distruggersi.

Nel prendere questa decisione, sente quattro commenti: "Hai sempre agito in maniera sbagliata. Sei troppo vecchio per cambiare. Tu non sei buono. Non te lo meriti."

Allora guarda il cielo. E una voce gli dice: "Mio caro, tutti hanno fatto cose sbagliate. Tu sei perdonato, ma non posso forzare questo perdono. Deciditi."

Il vero guerriero della luce accetta il perdono.

Il guerriero della luce cerca sempre di migliorare.

Ogni colpo della sua spada porta con sé secoli di sapienza e di meditazione. Per ogni fendente sono necessarie la forza e l'abilità di tutti i guerrieri del passato, che ancora oggi continuano a benedire la lotta. Ogni mossa del combattimento onora quello che le generazioni precedenti hanno cercato di trasmettere attraverso la Tradizione.

Il guerriero della luce incrementa la bellezza dei suoi colpi.

Un guerriero della luce è affidabile. Commette alcuni errori, a volte si giudica più importante di quanto realmente sia. Ma non mente.

Quando si riunisce intorno al fuoco, chiacchiera con i compagni e le compagne. Sa che le sue parole saranno custodite nella memoria dell'Universo, come un attestato di ciò che pensa.

E il guerriero riflette: "Perché parlare tanto, se in molte occasioni non sono capace di fare tutto quello che dico?"

Il cuore risponde: "Se difendi pubblicamente le tue idee, devi sforzarti di vivere rispettandole."

Proprio perché pensa di essere ciò che dice, il guerriero finisce per trasformarsi in ciò che dice di essere.

Il guerriero sa che, di tanto in tanto, il combattimento viene interrotto.

Forzare la lotta non serve; è necessario avere pazienza, aspettare che le forze entrino di nuovo in collisione.

Nel silenzio del campo di battaglia, il guerriero sente i battiti del proprio cuore. Sa di essere teso, di avere paura.

Egli fa un bilancio della propria vita; controlla se la spada è affilata, se il cuore è soddisfatto, se la fede sta infervorando l'anima. Sa che la preparazione è importante quanto l'azione.

C'è sempre qualcosa che manca. E il guerriero approfitta dei momenti in cui il tempo si ferma per armarsi meglio.

Un guerriero sa che un angelo e un demonio si contendono la mano che impugna la spada.

Dice il demonio: "Tu cederai. Non individuerai il momento giusto. Hai paura."

Dice l'angelo: "Tu cederai. Non individuerai il momento giusto. Hai paura."

Il guerriero è sorpreso. Hanno detto tutti e due la stessa cosa.

Poi il demonio continua: "Lascia che ti aiuti."

E l'angelo dice: "Ti aiuto io."

A questo punto, il guerriero avverte la differenza. Le parole sono le stesse, ma gli alleati sono diversi.

Allora egli sceglie la mano del suo angelo.

Tutte le volte che il guerriero sguaina la spada, la usa.

Può servirsene per aprire un cammino, per aiutare qualcuno, o per allontanare il pericolo. Ma una spada è capricciosa, e non ama vedere la propria lama esposta senza motivo.

Perciò il guerriero non minaccia mai. Egli può attaccare, difendersi, o fuggire: ognuna di queste azioni rientra nel combattimento. Ciò che esula dalla lotta è sprecare la forza di un colpo, parlandone.

Un guerriero della luce sta sempre attento ai movimenti della sua spada. Ma non può dimenticare che anch'essa presta attenzione ai suoi movimenti.

La spada non è stata fatta per essere usata con la bocca.

A volte il male perseguita il guerriero della luce. Allora, tranquillamente, egli lo invita nella sua tenda.

Domanda al male: "Vuoi ferirmi, o usarmi per ferire gli altri?"

Il male finge di non udire. Sostiene di conoscere le tenebre dell'anima del guerriero. Tocca ferite non ancora cicatrizzate, e chiede vendetta. Gli ricorda di essere il solo a conoscere certe trappole e certi veleni che lo aiuteranno a distruggere i nemici.

Il guerriero della luce ascolta. Se il male si distrae, egli lo sprona a riprendere la conversazione, e gli chiede i dettagli di tutti i suoi progetti.

Dopo avere ascoltato ogni cosa, si alza e se ne va. Il male ha parlato tanto, è talmente stanco e vuoto che non riuscirà a seguirlo.

Il guerriero della luce, senza volerlo, fa un passo falso e sprofonda nell'abisso.

I fantasmi lo spaventano, la solitudine lo tormenta. Siccome ha ricercato il Buon Combattimento, non pensava che gli sarebbe mai potuto accadere; invece è accaduto. Avvolto dall'oscurità, si mette in comunicazione con il suo maestro.

"Maestro, sono caduto nell'abisso," dice. "Le acque sono profonde e scure."

"Ricordati di una cosa," risponde il maestro. "Ciò che fa annegare non è l'immersione, ma il fatto di rimanere sott'acqua."

E il guerriero si adopera con tutte le forze per uscire dalla situazione in cui si trova.

Il guerriero della luce si comporta come un bambino.

Gli altri ne sono colpiti. Hanno dimenticato che un bambino ha bisogno di divertirsi, di giocare, di essere in qualche misura irriverente, di fare domande sconvenienti e immature, di dire stupidaggini nelle quali neppure lui crede.

E domandano scandalizzati: "È questo il cammino spirituale? Lui non è affatto maturo!"

A questo commento, il guerriero s'inorgoglisce. E si tiene in contatto con Dio, attraverso la propria innocenza e la propria allegria, senza perdere di vista la sua missione.

La radice latina della parola "responsabilità" ne svela il significato: capacità di rispondere, di reagire.

Un guerriero responsabile ha saputo osservare e istruirsi. Ma è stato capace di essere anche "irresponsabile": a volte si è lasciato trascinare dalla situazione, e non ha risposto né ha reagito.

Ma ha imparato la lezione: ha assunto un atteggiamento, ha ascoltato un consiglio, ha avuto l'umiltà di accettare aiuto.

Un guerriero responsabile non è quello che si prende sulle spalle il peso del mondo. È colui che ha imparato ad affrontare le sfide del momento.

Non sempre un guerriero della luce può scegliere il campo di battaglia.

A volte viene colto di sorpresa, coinvolto in combattimenti che non desiderava. Ma fuggire non serve, perché queste lotte lo seguiranno.

Allora, nel momento in cui il conflitto è quasi inevitabile, il guerriero parla con il suo avversario. Senza mostrare paura o vigliaccheria, cerca di scoprire perché l'altro vuole la lotta; quali cose lo hanno spinto a lasciare il paese e a cercare lui per un duello. Senza sguainare la spada, il guerriero lo convince che quel combattimento non lo riguarda.

Un guerriero della luce ascolta ciò che l'avversario ha da dire. E lotta solo se è necessario.

Il guerriero della luce avverte una sorta di terrore di fronte alle decisioni importanti.

"È troppo grande per te," commenta un amico. "Vai avanti, abbi coraggio," dice un altro. E i suoi dubbi aumentano.

Dopo alcuni giorni di angoscia, si ritira nell'angolo della sua tenda dove suole sedersi per meditare e pregare. Vede se stesso nel futuro. Scorge tutti coloro che avranno un beneficio o un danno dal suo atteggiamento. Egli non vuole causare sofferenze inutili né tanto meno abbandonare il cammino.

Il guerriero allora lascia che la decisione si manifesti.

Se sarà necessario dire di sì, egli lo dirà con coraggio. Se sarà necessario dire di no, lo dirà senza vigliaccheria.

Un guerriero della luce accetta totalmente la propria Leggenda Personale.

I suoi compagni commentano: "La sua fede è sorprendente!"

Il guerriero ne è orgoglioso per qualche istante, e subito dopo si vergogna di ciò che ha sentito, perché non possiede la fede che dimostra.

In quel momento il suo angelo sussurra: "Sei solo uno strumento della luce. Non hai motivo di vantarti né di sentirti colpevole. C'è solo motivo di gioire."

E il guerriero della luce, consapevole di essere uno strumento, si sente più tranquillo e sicuro.

"Hitler può avere perduto la guerra sul campo di battaglia, ma ha finito per ottenere qualcosa," dice M. Halter. "Perché l'uomo del ventesimo secolo ha creato il campo di concentramento e risuscitato la tortura, e ha insegnato ai suoi simili che è possibile chiudere gli occhi davanti alle sventure degli altri."

Forse ha ragione lui: ci sono bambini abbandonati, civili massacrati, innocenti nelle carceri, vecchi solitari, ubriachi nei canali, folli al potere.

Magari, però, non ha affatto ragione: ci sono i guerrieri della luce.

E i guerrieri della luce non accettano mai ciò che è inaccettabile.

Il guerriero della luce non dimentica mai il vecchio detto: "Il buon capretto non strepita."

Le ingiustizie accadono. Tutti sono coinvolti in situazioni che non meritano, generalmente quando non possono difendersi. Molte volte la sconfitta bussa alla porta del guerriero.

In quei momenti, egli rimane in silenzio. Non spreca energia con le parole, perché le parole non possono fare niente. È meglio usare le forze per resistere e pazientare, sapendo che Qualcuno sta guardando. Qualcuno che ha visto l'ingiusta sofferenza, e non vi si rassegna.

Questo Qualcuno dà al guerriero ciò di cui ha bisogno: il tempo. Prima o poi, tutto tornerà a lavorare in suo favore.

Un guerriero della luce è saggio. Non commenta le sue sconfitte.

Una spada può durare poco. Ma il guerriero della luce deve durare a lungo.

Perciò non si lascia ingannare dalle proprie capacità ed evita di farsi cogliere di sorpresa. A ogni cosa dà il valore che merita.

Alcune volte, di fronte a gravi problemi, il demonio gli sussurra all'orecchio: "Non preoccuparti, non è una cosa seria."

Altre volte, di fronte a cose banali, il demonio gli dice: "Hai bisogno di concentrare tutte le tue energie per risolvere questa situazione."

Il guerriero non ascolta ciò che dice il demonio: egli è il maestro della sua spada.

Un guerriero della luce è sempre vigile. Non chiede il permesso ad altri per impugnare la propria spada, semplicemente la prende fra le mani. Né perde tempo a spiegare i suoi gesti: fedele alle decisioni di Dio, egli risponde di ciò che fa.

Si guarda accanto e individua gli amici. Scruta dietro di sé e identifica gli avversari. È implacabile con il tradimento, ma non si vendica. Si limita ad allontanare i nemici dalla propria vita, senza lottare contro di loro oltre il tempo necessario.

Un guerriero non tenta di sembrare. Egli è.

Un guerriero non si accompagna a chi vuole fargli del male. Né tanto meno viene visto in compagnia di coloro che desiderano "consolarlo".

Evita chi gli sta accanto solo in caso di sconfitta: questi falsi amici vogliono dimostrare che la debolezza ricompensa. Portano sempre cattive notizie. Tentano sempre di distruggere la fiducia del guerriero, sotto il mantello della "solidarietà".

Quando lo vedono ferito, si sciolgono in lacrime, ma in fondo al cuore sono contenti perché il guerriero ha perduto la battaglia. Non capiscono che questo fa parte del combattimento.

I veri compagni di un guerriero sono sempre al suo fianco, nei momenti difficili e in quelli favorevoli.

All'inizio della sua lotta, il guerriero della luce ha dichiarato: "Io ho dei sogni."

Dopo alcuni anni, capisce che è possibile arrivare dove vuole, sa che verrà ricompensato.

In quel momento diviene triste. Conosce l'infelicità altrui, la solitudine, le frustrazioni che accompagnano gran parte dell'umanità, e pensa di non meritare ciò che sta per ricevere.

Il suo angelo sussurra: "Consegna tutto." Il guerriero si inginocchia, e offre a Dio le sue conquiste.

L'Offerta costringe il guerriero a smettere di fare domande sciocche, e lo aiuta a vincere la colpa.

La spada del guerriero della luce è nelle sue mani.

È lui che decide ciò che farà e ciò che non farà mai, in nessuna circostanza.

Ci sono momenti in cui la vita lo conduce verso una crisi: è costretto a separarsi da cose che ha sempre amato; allora il guerriero riflette. Considera se stia compiendo la volontà di Dio, o se agisca per egoismo. Qualora la separazione sia comunque sul suo cammino, ebbene egli la accetta senza protestare.

Se, invece, la separazione è provocata dalla perversità altrui, la sua risposta risulta implacabile.

Il guerriero possiede il colpo e il perdono. Sa usarli entrambi con la stessa abilità.

Il guerriero della luce non cade nella trappola della parola "libertà".

Quando il suo popolo è oppresso, la libertà è un concetto molto chiaro. In quei momenti, usando la spada e lo scudo, lotta fino allo stremo, o fino a perdere la vita. Dinanzi all'oppressione, la libertà è facilmente comprensibile: è l'opposto della schiavitù.

Ma, a volte, il guerriero sente gli anziani dire: "Quando smetterò di lavorare, sarò libero." Poi, dopo un anno, i vecchi si lamentano: "La vita è solo noia e routine." In questo caso, la libertà è difficile da comprendere: significa mancanza di significato.

Un guerriero della luce è sempre impegnato. È schiavo del proprio sogno e libero nei propri passi.

Un guerriero della luce non ripete sempre la stessa lotta: soprattutto quando nota di non andare né avanti né indietro.

Se il combattimento non progredisce, comprende che è necessario sedersi con il nemico e discutere una tregua: hanno praticato entrambi l'arte della spada, e adesso hanno bisogno di capirsi.

È un gesto di dignità, non di vigliaccheria. È un equilibrio di forze e un cambiamento di strategia.

Delineati i piani di pace, i guerrieri tornano a casa. Non hanno bisogno di dimostrare niente a nessuno. Si sono scontrati nel Buon Combattimento e hanno mantenuto la fede. Ciascuno ha ceduto un po', apprendendo così l'arte del negoziato.

Gli amici del guerriero della luce gli domandano da dove provenga la sua energia.

Egli risponde: "Dal nemico occulto."

Gli amici gli chiedono chi sia.

Il guerriero dice: "Qualcuno che non possiamo ferire."

Può essere un bambino che lo ha sconfitto durante un litigio nell'infanzia, l'innamorata che lo ha lasciato a undici anni, l'insegnante che lo chiamava "asino". Quando è stanco, il guerriero si ricorda di non avere ancora visto il suo coraggio.

Egli non pensa alla vendetta, perché il nemico occulto non appartiene più alla sua storia. Pensa soltanto a migliorare la propria abilità, affinché la fama delle sue imprese faccia il giro del mondo e giunga alle orecchie di chi lo ha addolorato in passato.

Il dolore di ieri è la forza del guerriero della luce.

Un guerriero della luce ha sempre una seconda opportunità nella vita.

Come tutti gli altri uomini e le altre donne, egli non è nato sapendo già maneggiare la spada. Ha sbagliato molte volte, prima di scoprire la propria Leggenda Personale.

Nessun guerriero può sedersi intorno al fuoco e dire agli altri: "Ho sempre agito nella maniera giusta." Chi afferma ciò, sta mentendo, e non ha ancora imparato a conoscere se stesso. Inoltre, nel passato, il vero guerriero della luce ha commesso qualche ingiustizia.

Ma, nel corso del viaggio, capisce che prima o poi incontrerà di nuovo gli uomini con cui ha agito in modo sbagliato.

È la sua opportunità di porre rimedio al male che ha causato. Ed egli la coglie sempre senza esitare.

Un guerriero è semplice come le colombe, e prudente come i serpenti.

Quando si riunisce con gli altri per chiacchierare, non giudica il loro comportamento; egli sa che le tenebre si servono di una rete invisibile per diffondere il male. Questa rete capta qualsiasi informazione vagante nell'aria e la trasforma nell'intrigo e nell'invidia che albergano come parassiti nell'anima umana.

Così, tutto ciò che viene detto su qualcuno finisce sempre per giungere alle orecchie dei nemici di costui, col sovraccarico tenebroso di veleno e malignità.

Perciò, quando il guerriero parla dei comportamenti di un proprio fratello, immagina che questi sia presente e stia ascoltando ciò che egli dice.

Il *Breviario della Cavalleria Medievale* dice: "L'energia spirituale del Cammino si serve della giustizia e della pazienza per preparare il tuo spirito.

"Questo è il Cammino del Cavaliere: un cammino facile e, nello stesso tempo, difficile, perché obbliga a tralasciare le cose inutili, e le amicizie marginali. Perciò, all'inizio, si esita lungamente prima di seguirlo.

"Ecco il primo insegnamento della Cavalleria: 'Tu cancellerai ciò che fino ad allora avrai scritto sul quaderno della tua vita: inquietudine, insicurezza, menzogna. E, al posto di tutto ciò, scriverai la parola «coraggio».' Iniziando il viaggio con questa parola, e proseguendo con la fede in Dio, arriverai dove hai bisogno di arrivare."

Quando si avvicina il momento del combattimento, il guerriero della luce è pronto a tutte le eventualità.

Valuta ogni singola strategia, e si domanda: "Che cosa farei se dovessi lottare con me stesso?" In questa maniera, scopre i propri punti deboli.

In quell'istante l'avversario si avvicina. La sua borsa è piena di promesse, trattati, negoziati. Ha proposte allettanti e facili alternative.

Il guerriero analizza ognuna delle proposte. Cerca anche un accordo, ma senza perdere la dignità. Se eviterà il combattimento, non lo farà perché è stato sedotto, ma perché ha pensato che questa fosse la strategia migliore.

Un guerriero della luce non accetta doni dal nemico.

Allora io ripeto: i guerrieri della luce si riconoscono dallo sguardo. Si trovano nel mondo, fanno parte del mondo, e al mondo sono stati inviati senza bisaccia e senza sandali. Molte volte sono dei codardi. Non sempre agiscono nella maniera giusta.

I guerrieri della luce soffrono per stupidaggini, si preoccupano di cose meschine, si reputano incapaci di crescere. Talvolta si credono indegni di qualsiasi benedizione o miracolo.

I guerrieri della luce sovente si domandano che cosa stiano facendo qui. Molte volte pensano che la loro vita non abbia alcun significato.

Perciò sono guerrieri della luce. Perché sbagliano. Perché si interrogano. Perché continuano a ricercare un significato. E finiranno col trovarlo.

Il guerriero della luce si sta ridestando dal suo sonno.

Pensa: "Non riesco a sopportare questa luce che mi fa crescere." La luce, tuttavia, non scompare.

Il guerriero pensa: "Saranno necessari dei cambiamenti che non ho voglia di fare."

La luce persiste, perché la volontà è una parola piena di trucchi.

Allora gli occhi e il cuore del guerriero cominciano ad abituarsi alla luce. Essa non lo spaventa più, e lui comincia ad accettare la propria Leggenda, anche se ciò significa correre dei rischi.

Il guerriero ha dormito per lungo tempo. È naturale che si stia risvegliando a poco a poco.

Il lottatore esperto resiste agli insulti: conosce la forza del proprio pugno, l'abilità dei propri colpi. Davanti all'avversario impreparato, lo guarda fissamente negli occhi, e riesce a vincere senza portare la lotta sul piano fisico.

A mano a mano che il guerriero apprende dal suo maestro spirituale, la luce della fede comincia a brillare anche nei suoi occhi, ed egli non ha bisogno di dimostrare niente a nessuno. Non lo scalfiscono le argomentazioni aggressive dell'avversario, il quale afferma che Dio è superstizione, che i miracoli sono trucchi, che credere negli angeli significa fuggire dalla realtà.

Proprio come il lottatore, il guerriero della luce conosce la propria forza immensa: non lotta mai con chi non merita l'onore del combattimento.

Il guerriero della luce deve sempre avere scolpite nella mente le cinque regole del combattimento, scritte da Chuan Tzu tremila anni fa.

La fede. Prima di affrontare una battaglia è necessario credere nel motivo della lotta.

Il compagno. Scegli i tuoi alleati e impara a lottare in compagnia, perché nessuno vince una guerra da solo.

Il tempo. Una lotta in inverno è diversa da una in estate; un buon guerriero presta attenzione al momento giusto per entrare in battaglia.

Lo spazio. Non si lotta nella stessa maniera in una gola o in una pianura. Pensa a ciò che esiste intorno a te, e al modo migliore di muoverti.

La strategia. Il miglior guerriero è colui che pianifica il proprio combattimento.

Raramente il guerriero conosce l'esito di una battaglia quando questa si conclude.

Il movimento della lotta ha generato molta energia intorno a lui, e c'è un istante in cui sia la vittoria che la sconfitta sono ancora possibili. Sarà il tempo a dire chi ha vinto e chi ha perso. Ma egli sa che, da quel momento, non si può fare più nulla: il destino di quella lotta è nelle mani di Dio.

In quei momenti, il guerriero della luce non si preoccupa del risultato. Guarda nel proprio cuore e si domanda: "Ho combattuto il Buon Combattimento?" Se la risposta è affermativa, si riposa. Se è negativa, prende la spada e ricomincia ad allenarsi.

Il guerriero della luce ha in sé la scintilla di Dio.

Il suo destino è quello di stare con gli altri guerrieri, ma a volte avrà bisogno di praticare, solitario, l'arte della spada: perciò, quando è separato dai compagni, si comporta come una stella.

Illumina quella parte dell'Universo che gli è stata destinata e tenta di mostrare galassie e mondi a coloro che guardano il cielo.

La perseveranza del guerriero sarà ben presto ricompensata. A poco a poco, altri guerrieri si avvicinano, e i compagni si riuniscono in costellazioni, coi loro simboli e i loro misteri.

A volte il guerriero della luce ha l'impressione di vivere due vite nello stesso tempo.

In una è obbligato a fare tutto ciò che non vuole, a lottare per idee nelle quali non crede. Ma c'è anche un'altra vita, ed egli la scopre nei sogni, nelle letture, negli incontri con uomini che la pensano come lui.

Il guerriero consente sempre alle due vite di avvicinarsi. "C'è un ponte che collega quello che faccio con ciò che mi piacerebbe fare," pensa. A poco a poco, i suoi sogni cominciano a impadronirsi della vita di tutti giorni, finché egli avverte di essere pronto per ciò che ha sempre desiderato.

Allora basta un pizzico di audacia, e le due vite si trasformano in una.

Scrivi di nuovo quello che ti ho già detto: “Il guerriero della luce ha bisogno di tempo per se stesso.” E impiega questo tempo per il riposo, la contemplazione, il contatto con l’Anima del Mondo. Anche nel pieno di un combattimento, egli riesce a meditare.

In certe occasioni, il guerriero si siede, si rilassa e lascia che tutto ciò che sta accadendo intorno continui ad accadere. Guarda il mondo come se fosse uno spettatore, non tenta di crescere né di sminuirsi, ma solo di abbandonarsi senza alcuna resistenza al movimento della vita.

A poco a poco, tutto ciò che sembrava complicato diventa semplice. E il guerriero ne gioisce.

Il guerriero della luce si preoccupa di coloro che pensano di conoscere il cammino.

Questi sono così fiduciosi nella propria capacità di decidere da non avvertire l'ironia con cui il destino scrive la vita di ogni essere umano: e protestano ogniqualvolta l'inevitabile bussa alla porta.

Il guerriero della luce ha i suoi sogni. Sono i sogni a farlo procedere. Ma egli non commette mai l'errore di pensare che il cammino sia facile e la porta sia larga. Sa che l'Universo funziona in modo identico a quello dell'Alchimia. "*Solve et coagula*," dicevano i maestri. "Concentra e disperdi le tue energie, secondo la situazione."

Ci sono momenti in cui è necessario agire, e altri in cui si deve accettare. Il guerriero sa fare questa distinzione.

Quando apprende a maneggiare la spada, il guerriero della luce scopre che il suo equipaggiamento deve essere completo: e questo include un'armatura.

Così parte alla ricerca dell'armatura, e ascolta le proposte di vari venditori.

"Usa la corazza della solitudine," dice uno.

"Utilizza lo scudo del cinismo," incalza un altro.

"La migliore armatura è quella di non farsi coinvolgere da niente," afferma un terzo.

Il guerriero, però, non vi presta ascolto. Con serenità, si reca nel suo luogo sacro e veste il mantello indistruttibile della fede.

La fede para tutti i colpi. La fede trasforma il veleno in acqua cristallina.

"Io vivo credendo a tutto ciò che gli altri mi dicono, e rimango sempre deluso," dicono di solito i compagni.

È importante confidare negli altri. Un guerriero della luce non ha paura delle delusioni, perché conosce il potere della propria spada e la forza del proprio amore.

Riesce comunque a imporre i propri limiti: una cosa è accettare i segnali di Dio, e capire che gli angeli si servono della bocca del nostro prossimo per darci dei consigli; un'altra è non saper prendere delle decisioni, ed essere sempre alla ricerca di una maniera per farci dire dagli altri che cosa dobbiamo fare.

Un guerriero confida negli altri perché, prima di tutto, confida in se stesso.

Il guerriero della luce guarda la vita con dolcezza e decisione.

Egli è davanti a un mistero di cui, un giorno, troverà la risposta. Spesso e volentieri, dice fra sé e sé: "Ma questa vita sembra una follia."

Ha ragione. Concentrato sul miracolo del quotidiano, egli nota di non essere sempre in grado di prevedere le conseguenze dei propri atti. A volte agisce senza avere la coscienza di ciò che sta facendo: salva senza sapere che sta portando a salvamento, soffre senza conoscere il motivo per cui è triste.

Sì, questa vita è una follia. Ma la grande sapienza del guerriero della luce consiste nello scegliere bene la propria follia.

Il guerriero della luce contempla le due colonne che fiancheggiano la porta che intende aprire. Una si chiama "Paura", l'altra "Desiderio".

Il guerriero guarda la colonna della Paura, sulla quale è scritto: "Entrerai in un mondo sconosciuto e pericoloso, dove tutto ciò che hai appreso finora non servirà a niente."

Poi osserva la colonna del Desiderio, sopra la quale legge: "Uscirai da un mondo conosciuto, dove sono custodite le cose che hai sempre voluto, e per le quali hai lottato duramente."

Il guerriero sorride, perché non esiste niente che lo spaventi né che lo leghi. Con la sicurezza di chi sa ciò che vuole, apre la porta.

Un guerriero della luce compie un possente esercizio di crescita interiore: presta attenzione alle cose che fa automaticamente, come respirare, strizzare gli occhi, o notare gli oggetti intorno a sé.

Si comporta così quando si sente confuso. In questo modo si sbarazza delle tensioni e permette alla sua intuizione di agire più liberamente, senza l'interferenza delle paure o dei desideri. Alcuni problemi che sembravano insolubili finiscono per essere risolti, certi dolori che riteneva insuperabili svaniscono senza nessuno sforzo.

Quando deve affrontare una situazione difficile, adotta questa tattica.

Il guerriero della luce sente commenti del tipo: "Non voglio parlare di certe cose, perché gli uomini sono invidiosi."

Nell'udire ciò, il guerriero ride. Se non accettata, l'invidia non può causare alcun danno. L'invidia fa parte della vita, ed è necessario che tutti imparino a fronteggiarla.

Eppure, raramente egli parla dei suoi piani. E talvolta gli altri pensano che abbia paura dell'invidia.

Ma il guerriero sa che, ogni volta che parla di un sogno, usa un po' dell'energia di questo sogno per esprimersi. E se ne parla tanto, corre il rischio di sprecare tutta l'energia necessaria per agire.

Un guerriero della luce conosce il potere delle parole.

Il guerriero della luce conosce il valore della perseveranza e del coraggio.

Molte volte, durante il combattimento, egli riceve dei colpi che non si aspettava. E capisce che, nel corso della guerra, il nemico vincerà qualche battaglia. Quando ciò accade, piange le proprie pene e riposa per recuperare le forze. Ma ritorna immediatamente a lottare per i suoi sogni.

Perché, quanto più tempo se ne manterrà lontano, tanto maggiori saranno le probabilità di sentirsi debole, spaventato, timoroso. Quando un cavaliere cade da cavallo e non risale in groppa nel volgere di un minuto, non avrà mai più il coraggio di montare.

Un guerriero conosce le cose che hanno valore.

Egli decide le proprie azioni basandosi sull'ispirazione e la fede. Tuttavia gli capita di incontrare uomini che lo incitano a intervenire in lotte che non gli appartengono, su campi di battaglia che non conosce, o che non gli interessano. Questi vogliono coinvolgere il guerriero della luce in sfide che sono importanti solo per loro.

Molte volte sono persone vicine, che amano il guerriero e confidano nella sua forza, ma vivono in preda all'ansia, e quindi vogliono in qualche modo il suo aiuto.

In quei momenti egli sorride, dimostrando il suo amore, ma non accetta la provocazione.

Un verc guerriero della luce sceglie sempre il proprio campo di battaglia.

Il guerriero della luce sa perdere. Egli non tratta la sconfitta con indifferenza, pronunciando frasi come: “Be’, non era poi tanto importante”, o: “Per la verità, non lo desideravo neppure”. Accetta la sconfitta come tale, e non tenta di trasformarla in vittoria.

Patisce il dolore delle ferite, l’indifferenza degli amici, la solitudine della perdita. In quei momenti, dice a se stesso: “Ho lottato per qualcosa, e non ce l’ho fatta. Ho perduto la prima battaglia.”

Questa frase gli infonde nuove forze. Egli sa che nessuno vince sempre, ed è in grado di distinguere le proprie azioni corrette dagli errori.

Quando si vuole una cosa, l'Universo intero trama a favore. Il guerriero della luce lo sa. Per questa ragione, presta grande attenzione ai propri pensieri. Nascosti sotto tante buone intenzioni ci sono sentimenti che nessuno osa confessare a se stesso: la vendetta, l'autodistruzione, la colpa, la paura della vittoria, la gioia macabra dinanzi alla tragedia altrui.

L'Universo non giudica: cospira a favore di ciò che desideriamo. Perciò il guerriero ha il coraggio di guardare le ombre della propria anima, e si domanda se non stia chiedendo qualcosa di sbagliato per se stesso.

E presta sempre grande attenzione a ciò che pensa.

Diceva Gesù: "Che il tuo 'sì' sia 'sì', e che il tuo 'no' sia 'no'." Quando il guerriero si assume un impegno, mantiene la parola.

Coloro che promettono, e poi non mantengono, perdono il rispetto di se stessi, si vergognano delle proprie azioni. La loro vita consiste nella fuga. Essi sprecano molta più energia tradendo la parola data di quanta ne usi il guerriero della luce per mantenere le sue promesse.

Talvolta capita che anch'egli si assuma qualche sciocca responsabilità, da cui deriverà un danno. Tuttavia non ripeterà mai questo comportamento.

Egli onora comunque la parola data e paga il prezzo della propria impulsività.

Quando vince una battaglia, il guerriero festeggia.

La vittoria gli è costata momenti difficili, notti piene di dubbi, interminabili giorni di attesa. Fin dai tempi remoti, celebrare un trionfo fa parte del rituale della vita: la celebrazione è un rito di passaggio.

I compagni assistono alla gioia del guerriero della luce e pensano: "Perché si comporta così? Potrebbe risultare deluso dal prossimo combattimento. Potrebbe attirare la furia del nemico."

Ma il guerriero conosce il motivo di questo suo gesto. Egli gode del miglior dono che la vittoria possa portare: la fiducia.

Celebra oggi la sua vittoria di ieri, per avere più forze nella battaglia di domani.

Un giorno, all'improvviso, il guerriero scopre di lottare senza lo stesso entusiasmo di prima.

Continua a fare ciò che faceva, ma sembra che ogni gesto abbia perduto il suo significato. In quel momento, egli ha una sola scelta: continuare a praticare il Buon Combattimento. Recita le sue preghiere per dovere, o per paura, o per qualsiasi altro motivo, ma non interrompe il suo cammino.

Sa che l'angelo di Colui che lo ispira sta facendo un altro giro. Il guerriero si mantiene concentrato sulla lotta, e persevera: anche quando tutto sembra inutile. Dopo un po', l'angelo torna, e il semplice fruscio delle sue ali farà ritornare la gioia.

Un guerriero della luce condivide con gli altri tutto ciò che conosce del cammino.

Chi aiuta, viene sempre aiutato, e ha bisogno di insegnare ciò che ha appreso. Perciò egli si siede intorno al fuoco e racconta com'è andata la giornata di lotta.

Un amico gli sussurra: "Perché parlare tanto apertamente della tua strategia? Non vedi che, comportandoti così, corri il rischio di dover dividere le conquiste con altri?"

Il guerriero si limita a sorridere, e non risponde. Sa che, se giungerà alla fine del viaggio in un paradiso vuoto, la sua lotta non avrà avuto alcun valore.

Il guerriero della luce ha appreso che Dio si serve della solitudine per insegnare la convivenza. Si serve della rabbia per mostrare l'infinito valore della pace. Si serve del tedio per sottolineare l'importanza dell'avventura e dell'abbandono.

Dio si serve del silenzio per fornire un insegnamento sulla responsabilità delle parole. Si serve della stanchezza perché si possa comprendere il valore del risveglio. Si serve della malattia per sottolineare la benedizione della salute.

Dio si serve del fuoco per impartire una lezione sull'acqua. Si serve della terra perché si comprenda il valore dell'aria. Si serve della morte per mostrare l'importanza della vita.

Il guerriero della luce dà prima che gli sia richiesto.

Vedendo questo, alcuni compagni commentano: "Chi ha bisogno, chiede."

Ma il guerriero sa che c'è molta gente che non riesce – semplicemente non riesce – a chiedere aiuto. Accanto a lui ci sono molti uomini dal cuore talmente fragile che si impegnano in amori malsani; sono affamati di affetto, e si vergognano di mostrarlo.

Il guerriero li riunisce intorno al fuoco, racconta delle storie, spartisce il suo cibo, si ubriaca insieme a loro. Il giorno dopo, tutti si sentono meglio.

Coloro che guardano alla miseria con indifferenza, sono i più miserabili.

Le corde che sono sempre in tensione finiscono per logorarsi.

I guerrieri che si addestrano senza tregua perdono la spontaneità nella lotta. I cavalli che saltano di continuo gli ostacoli finiscono per spezzarsi una zampa. Gli archi che sono costantemente tesi non scagliano più le frecce con la stessa forza.

Perciò, anche se potrebbe non essere dell'umore giusto, il guerriero della luce cerca di divertirsi con le piccole cose quotidiane.

Il guerriero della luce presta ascolto a Lao Tzu, quando dice che dobbiamo distaccarci dall'idea dei giorni e delle ore, per rivolgere sempre più attenzione al minuto.

Solo così riesce a fronteggiare taluni problemi prima che si verifichino: prestando attenzione alle piccole cose, egli riesce a evitare le grandi catastrofi.

Ma pensare alle piccole cose non significa pensare in tono minore. Una preoccupazione esagerata finisce per eliminare ogni traccia di gioia dalla vita.

Il guerriero sa che un grande sogno è costituito da tante cose diverse, così come la luce del sole è l'insieme di milioni di raggi.

Ci sono momenti in cui il cammino del guerriero attraversa periodi di routine.

Allora egli adotta l'insegnamento di Nachman de Bratzlav: "Se non riesci a meditare, devi soltanto ripetere una semplice parola, perché questo fa bene all'anima. Non dire altro, limitati a ripetere la stessa parola senza fermarti, innumerevoli volte. Essa finirà per perdere il suo significato, acquistandone uno nuovo. Dio aprirà le sue porte, e tu arriverai a usare questa semplice parola per esprimere tutto ciò che vorresti."

Quando è obbligato a ripetere il medesimo compito, il guerriero adotta questa tattica, e trasforma il proprio lavoro in preghiera.

Un guerriero della luce non ha "certezze", ma un cammino da seguire, al quale cerca di adattarsi in base al tempo. In estate, lotta con equipaggiamenti e tecniche diversi da quelli impiegati in inverno.

Essendo tollerante, egli non giudica mai il mondo utilizzando il concetto di "giusto" o "sbagliato", bensì sulla base dell'"atteggiamento più adatto a quel determinato momento".

Sa che anche i suoi compagni devono adattarsi, e quindi non si sorprende quando essi cambiano atteggiamento. A ciascuno dà il tempo necessario per giustificare le proprie azioni.

Ma è implacabile in caso di tradimento.

Un guerriero siede intorno al fuoco con i suoi compagni.

Trascorrono ore e ore accusandosi a vicenda, ma poi finiscono per dormire sotto la stessa tenda e per dimenticare le offese pronunciate. Di tanto in tanto, nel gruppo arriva un elemento nuovo. Poiché non ha ancora una storia in comune con gli altri, l'uomo mostra soltanto i suoi pregi, e alcuni lo vedono come un maestro.

Ma il guerriero della luce non lo paragona mai ai vecchi compagni di battaglia. Lo straniero è il benvenuto, ma si fiderà di lui solo quando avrà conosciuto anche i suoi difetti.

Un guerriero della luce non entra mai in battaglia senza conoscere i limiti del suo alleato.

Il guerriero della luce conosce una vecchia espressione popolare che dice: "Se il pentimento uccidesse..."

E sa che il pentimento uccide davvero: corrode lentamente l'anima di chi ha fatto qualcosa di sbagliato, e conduce all'autodistruzione.

Il guerriero non vuole morire in questa maniera. Quando agisce con perversità o cattiveria, poiché anch'egli è un uomo pieno di difetti, non si vergogna di chiedere perdono.

Se gli è ancora possibile, concentra ogni suo sforzo per riparare al male che ha fatto. Se colui che ha colpito è morto, fa del bene a un estraneo, e offre questa buona intenzione all'anima di colui che ha ferito.

Un guerriero della luce non si pente, perché il pentimento uccide. Egli si umilia, e rimedia al male che ha causato.

Tutti i guerrieri della luce hanno sentito la madre dire: "Mio figlio si comporta così perché ha perduto la testa, ma in fondo è una gran brava persona."

Benché rispetti la madre, egli sa che non è così. Non si colpevolizza per i suoi gesti avventati, e tanto meno passa la vita a perdonarsi per tutto ciò che fa di sbagliato, poiché in questa maniera non correggerà mai il proprio cammino.

Per giudicare il risultato dei propri atti, si basa sul buon senso, e non sulle intenzioni che aveva nel compierli. Si assume la responsabilità di ogni sua azione, pur pagando un prezzo alto per gli errori.

Dice un vecchio proverbio arabo: "Dio giudica l'albero dai frutti, non dalle radici."

Prima di prendere una decisione importante, come dichiarare una guerra, trasferirsi con i compagni in un'altra pianura, scegliere un campo da seminare, il guerriero si domanda: "Come inciderà sulla quinta generazione dei miei discendenti questo mio gesto?"

Un guerriero ha coscienza che le azioni individuali comportano conseguenze che si prolungano per molto tempo, e deve sapere quale mondo sta lasciando alla sua quinta generazione.

"Non scatenare una tempesta in un bicchier d'acqua," dice qualcuno al guerriero della luce, avvisandolo.

Ma egli non enfatizza mai un momento difficile, e cerca sempre di mantenere la calma necessaria. Nel contempo, non giudica il dolore altrui.

Un piccolo dettaglio – che non lo colpisce affatto – può divenire lo stoppino per scatenare la tempesta che covava nell'anima di un suo fratello. Il guerriero rispetta la sofferenza del prossimo, e non tenta di paragonarla alla propria.

La coppa della sofferenza non ha la stessa misura per tutti.

"La prima qualità del cammino spirituale è il coraggio," sosteneva Gandhi.

Il mondo sembra minaccioso e pericoloso ai codardi, che ricercano la sicurezza menzognera di una vita priva di grandi sfide, e si armano fino ai denti per difendere quello che credono di possedere. I codardi finiscono per costruire le grate della loro stessa prigione.

Il guerriero della luce proietta il suo pensiero al di là dell'orizzonte. Sa che, se non farà niente per il mondo, nessun altro lo farà.

Allora partecipa al Buon Combattimento e aiuta gli altri, anche senza comprendere appieno il motivo per cui lo fa.

Il guerriero della luce legge con attenzione un testo che l'Anima del Mondo ha inviato a Chico Xavier: "Quando riesci a superare dei seri problemi di rapporto, non soffermarti sul ricordo dei momenti difficili, ma sulla gioia di avere attraversato anche questa prova della tua vita. Quando esci da un lungo periodo di convalescenza dopo una malattia, non pensare alla sofferenza che è stato necessario affrontare, ma alla benedizione di Dio che ha consentito la tua guarigione.

"Per il resto della vita, serba nella memoria le cose belle che sono sorte nei momenti di difficoltà. Esse saranno una prova delle tue capacità e ti infonderanno fiducia dinanzi a qualsiasi ostacolo."

Il guerriero della luce si concentra sui piccoli miracoli della vita quotidiana.

Se sa vedere ciò che è bello, è perché ha la bellezza dentro di sé, giacché il mondo è uno specchio che rimanda a ogni uomo il riflesso del suo viso. Pur conoscendo i propri difetti e limiti, il guerriero fa il possibile per mantenere il buon umore nei momenti di crisi.

In fin dei conti, il mondo sta facendo ogni sforzo per aiutarlo, quantunque tutto ciò che lo circonda sembra affermare il contrario.

Esiste un residuo emotivo: esso viene prodotto nelle officine del pensiero. È formato dai dolori ormai passati, che adesso non sono più di alcuna utilità. È costituito dai cauti provvedimenti che hanno avuto un'importanza in passato, ma che nel presente non servono a niente.

Il guerriero ha inoltre i suoi ricordi, ma riesce a separare quello che è utile da ciò che non è necessario: egli si libera del proprio residuo emotivo.

Dice un compagno: "Ma questo fa parte della mia storia. Perché devo abbandonare dei sentimenti che hanno segnato la mia esistenza?"

Il guerriero sorride, ma non cerca di provare cose che ormai non sente più. Sta cambiando, e vuole che i suoi sentimenti lo accompagnino.

Dice il maestro al guerriero, quando lo vede depresso: "Tu non sei quello che sembri nei momenti di tristezza. Sei molto di più.

"Mentre tanti sono partiti, per motivi che non comprenderemo mai, tu sei ancora qui. Perché mai Dio si è portato via uomini così incredibili, e ha lasciato te?

"In questo momento, milioni di uomini hanno già rinunciato. Non si infastidiscono, non piangono, non fanno più niente. Si limitano ad aspettare che il tempo passi. Hanno perduto la capacità di reagire.

"Tu, però, sei triste. E ciò dimostra che la tua anima è ancora viva."

A volte, nel pieno di una battaglia che sembra non avere fine, il guerriero ha un'idea e vince in pochi secondi.

Allora pensa: "Perché ho sofferto per tanto tempo, in un combattimento che avrebbe potuto risolversi con la metà dell'energia che ho sprecato?"

In verità ogni problema, una volta risolto, sembra molto semplice. La grande vittoria, che oggi appare facile, è il risultato di una serie di piccoli successi che sono passati inosservati.

Allora il guerriero capisce ciò che è accaduto, e dorme tranquillo. Invece di colpevolizzarsi per il fatto di avere impiegato tanto tempo ad arrivare, gioisce sapendo che infine è giunto alla meta.

Esistono due tipi di preghiera. Il primo è quello con cui si chiede che accadano determinate cose, tentando di suggerire a Dio ciò che Egli deve fare. Al Creatore non si concede tempo né spazio per agire. Dio, che sa benissimo ciò che è meglio per ciascuno, continua ad agire come Gli conviene. E colui che prega rimane con la sensazione di non essere stato ascoltato.

Il secondo tipo di preghiera è quello in cui, anche senza comprendere i cammini dell'Altissimo, l'uomo lascia che nella propria vita si compiano i disegni del Creatore. Implora che gli sia risparmiata la sofferenza, chiede gioia nel Buon Combattimento, ma mai – in nessun momento – dimentica di pronunciare la formula: "Sia fatta la Tua volontà."

Il guerriero della luce prega in questa seconda maniera.

Il guerriero sa che, in tutte le lingue, le parole più importanti sono quelle piccole: "Sì", "Amore" , "Dio".

Sono parole che si pronunciano con facilità, e colmano giganteschi spazi vuoti.

Esiste tuttavia una parola, anch'essa molto piccola, che molti hanno difficoltà a pronunciare: "No."

Chi non dice mai di no, si crede generoso, comprensivo, educato: perché il "no" porta con sé la nomea di maledetto, egoista, poco spirituale.

Il guerriero non cade in questa trappola. Ci sono momenti in cui, nel dire "sì" agli altri, potrebbe darsi che, contemporaneamente, stia dicendo "no" a se stesso.

Perciò non pronuncia mai un "sì" con le labbra, se il suo cuore sta dicendo "no".

Primo. Dio è sacrificio. Soffri in questa vita e sarai felice nella prossima.

Secondo. Chi si diverte è un bambino.

Terzo. Gli altri sanno ciò che è meglio per noi, perché hanno più esperienza.

Quarto. Nostro dovere è rendere contenti gli altri. È necessario gratificarli, anche se ciò comporta rinunce importanti.

Quinto. Non bisogna bere alla coppa della felicità, altrimenti potrebbe piacerci. E non sempre l'avremo fra le mani.

Sesto. È necessario accettare tutti i castighi. Siamo colpevoli.

Settimo. La paura è un segnale di allarme. Non correremo rischi.

Sono questi i comandamenti ai quali nessun guerriero della luce può obbedire.

Un folto gruppo di uomini si trova in mezzo alla strada e sbarra il cammino che conduce al Paradiso.

Il puritano domanda: "Perché i peccatori?"

E il moralista urla: "La prostituta vuole partecipare al banchetto!"

Il custode dei valori sociali grida: "Come perdonare l'adultera, se ha peccato?"

Il penitente si strappa le vesti: "Perché guarire un cieco che pensa solo alla propria malattia e non ringrazia neppure?"

L'asceta si sbraccia: "Tu lasci che la donna sparga sui tuoi capelli un olio prezioso! Perché non venderlo e comprare del cibo?"

Sorridendo, Gesù tiene la porta aperta. E i guerrieri della luce entrano, trascurando le urla isteriche.

L'avversario è sapiente e scaltro. Appena può, afferra l'arma più facile ed efficace: l'intrigo. Quando se ne serve, non ha bisogno di fare grandi sforzi: perché altri stanno lavorando per lui. Con parole male orientate, vengono distrutti mesi di dedizione, anni di ricerca dell'armonia.

Sovente il guerriero della luce rimane vittima di questa trappola. Non sa da dove provenga il colpo, e non ha modo di dimostrare che l'intrigo è falso. L'intrigo non permette il diritto alla difesa: condanna senza processo.

Allora egli sopporta le conseguenze e le punizioni immeritate, poiché la parola ha un suo potere, e il guerriero lo sa. Ma soffre in silenzio, e non usa mai quell'arma per attaccare l'avversario.

Un guerriero della luce non è vigliacco.

"Dai allo sciocco mille intelligenze, ed egli non vorrà null'altro se non la tua," dice il proverbio arabo. Quando il guerriero della luce comincia a piantare il suo giardino, nota che il vicino lo spia. A costui piace dare consigli su come seminare le azioni, raccogliere i pensieri, irrigare le conquiste.

Se il guerriero presterà ascolto a ciò che l'uomo sta dicendo, finirà per fare un lavoro che non gli appartiene: il giardino a cui si sta dedicando deriverà da un'idea del vicino.

Ma un vero guerriero della luce sa che ogni giardino ha i propri misteri, che solo la mano paziente del giardiniere è capace di decifrare. Perciò preferisce concentrarsi sul sole, sulla pioggia, sulle stagioni. Sa che lo sciocco che dà consigli sul giardino altrui non sta badando alle proprie piante.

Per lottare, è necessario tenere sempre gli occhi aperti. E avere al proprio fianco dei compagni fedeli.

Ma capita che, all'improvviso, quello che si batteva insieme al guerriero della luce diventi un suo avversario.

La prima reazione è di odio. Ma il guerriero sa che un combattente accecato è perduto nel cuore della battaglia.

Allora cerca di ricordare le belle azioni compiute dall'antico alleato nel periodo in cui hanno convissuto. Tenta di comprendere che cosa lo abbia spinto al repentino cambio di atteggiamento, quali ferite si siano accumulate nella sua anima. Cerca di scoprire che cosa abbia portato uno dei due a rinunciare al dialogo.

"Nessuno è del tutto buono o cattivo": ecco ciò che pensa il guerriero quando capisce di avere un nuovo avversario.

Un guerriero sa che i fini non giustificano i mezzi.

Perché i fini non esistono: ci sono solo i mezzi. La vita lo trasporta dall'ignoto verso l'ignoto. Ogni minuto è rivestito di questo mistero appassionante: il guerriero non sa da dove viene né dove sta andando.

Ma non è qui per caso. E la sorpresa lo riempie di gioia, i paesaggi che non conosce lo affascinano. Molte volte ha paura, ma questo fa parte della norma per un guerriero.

Se egli pensasse solo alla meta, non riuscirebbe a prestare attenzione ai segnali disseminati lungo il cammino. Se si concentrasse su una singola domanda, perderebbe le varie risposte che gli stanno a fianco.

Perciò il guerriero si concede.

Il guerriero sa che esiste il cosiddetto "effetto cascata".

Ha visto molto spesso qualcuno comportarsi in maniera sbagliata con chi non aveva il coraggio di reagire. Allora, per vigliaccheria e risentimento, questi ha riversato la propria rabbia su qualcun altro più debole, che l'ha scaricata su un altro ancora, in una vera e propria catena d'infelicità. Nessuno conosce le conseguenze delle proprie crudeltà.

Perciò il guerriero è prudente nell'uso della spada, e accetta solo un avversario che sia degno di lui. Nei momenti di rabbia, prende a pugni la roccia e si ferisce la mano.

Alla fine la mano guarisce. Ma il bambino che ha finito per prenderle perché suo padre ha perso un combattimento sarà marchiato per il resto della vita.

Quando arriva l'ordine di trasferimento, il guerriero guarda tutti gli amici che si è fatto durante il cammino. Ad alcuni ha insegnato a udire le campane di un tempio sommerso, ad altri ha raccontato storie intorno al fuoco.

Il suo cuore si rattrista, ma egli sa che la sua spada è sacra, e che deve obbedire agli ordini di Colui al quale ha offerto la sua lotta.

Allora il guerriero della luce ringrazia i compagni di viaggio, trae un profondo respiro e va avanti, portando con sé i ricordi di un viaggio indimenticabile.

EPILOGO

Era ormai buio quando la donna smise di parlare. Rimasero lì a guardare insieme la luna che sorgeva.

"Molte delle cose che mi hai detto sono in contraddizione fra loro," disse lui.

Lei si alzò.

"Addio," disse. "Tu sapevi che le campane in fondo al mare non erano una leggenda. Ma sei riuscito a udirle solo quando hai capito che il vento, i gabbiani, il fruscio delle palme facevano parte del rintocco delle campane. Allo stesso modo, il guerriero della luce sa che tutto quanto lo circonda – le sue vittorie, le sue sconfitte, il suo entusiasmo e il suo scoramento – fanno parte del Buon Combattimento. E saprà adottare la giusta strategia nel momento in cui ne avrà bisogno. Un guerriero non cerca di essere coerente: apprende, piuttosto, a vivere con le sue contraddizioni."

"Chi sei?" le domandò lui.

Ma la donna si stava allontanando. Camminava sulle onde del mare, in direzione della luna che sorgeva.

INDICE